AFGESCHREVEN

LEES N!VEAU

	ME	ME	ME	ME	ME	
AVI	S	3	4	5	6	7	P
CLIB	S	3	4	5	6	7	8	P

Spanning | Avontuur

Toegekend door Cito i.s.m. KPC Groep

De lastige lifter
Een leesboek uit de serie *Spannend!*

AVI E4
CLIB 5

ISBN 978-90-5300-366-4
© Uitgeverij Delubas, Drunen
www.delubas.nl
Auteur: Fabien van Kempen
Illustrator: Sanne te Loo
Realisatie: Projectgroep Delubas
Redactie: Anneriek van Heugten
Vormgeving: Carla van Dijk, Janina Loeve

De lastige lifter

Fabien van Kempen - Sanne te Loo

Voor mijn vader, die ook wel eens een lifter meenam.

DELUBAS
EDUCATIEVE UITGEVERIJ

De lifter

'Wat doe je nou?' roept mama.

Luuk schrikt ervan.

Nu weet hij niet meer hoeveel rode auto's hij had
geteld.

'Ik stop voor die lifter,' legt papa uit.

Hij draait de auto een stukje de berm in.

Met een boos gezicht kijkt mama naar papa.

'We nemen toch geen vreemde mannen mee op
vakantie?'
'Ik ben nou al gestopt,' vindt papa.
'Geef gas dan,' zegt mama. 'Hij komt al naar onze
auto!'
Luuk kijkt naar buiten.
Hij ziet een dikke man in een leren jasje.

'Hoe wist je dat hij mee wil?' vraagt hij.
'Dat kon je zien, want hij stak zijn duim omhoog.
Liften heet dat,' vertelt papa.

'Wat raar,' vindt Luuk. 'Hij kan toch ook met de trein
of de bus gaan.'
'Nou,' zegt papa, 'als je lift hoef je niet te betalen.'

'Waar moet hij zitten?' vraagt Luuk zich hardop af.
'Naast jou natuurlijk,' zegt papa.

De dikke man reikt naar de deur.

Snel doet mama met een knopje alle deuren op slot.

Boos zegt papa: 'Doe die deur open.

Wat moet die man wel denken!'

'Het maakt mij niks uit wat die man denkt,' moppert
mama. Papa zucht.

Aan zijn kant van de auto zitten ook knopjes.
Daarmee maakt hij mama's raam open.
'Waar moet u heen?' vraagt hij aan de lifter.

'Naar Hamburg,' antwoordt de man.
'Goed, u mag tot Bremen met ons mee. Stap maar in.'

Papa drukt op een ander knopje.
De deuren springen weer van het slot.
De lifter loopt om de auto heen en klimt erin.

Hij ruikt naar oud zweet.
Nu hij zit, spant zijn overhemd strak
over zijn dikke buik.
Het lijkt of de knoopjes elk
moment van het hemd af
kunnen schieten.

'Ik ben Sjon,' zegt de lifter.
Met één hand veegt hij zijn vette haar naar achter.
'Welkom,' zegt papa en hij draait de auto weer de
weg op.
'We gaan een weekje op vakantie naar Duitsland.
Ik ben Peet, mijn vrouw heet Linda en dat is Luuk,
onze zoon.'

Sjon knikt, en zijn buik knikt mee.

Een buik zo flubberig als de pudding van oma.

Luuk vindt Sjon een vieze kerel.

De snelweg

Een tijdje zitten Luuk, mama, papa en de lifter heel
stil in de auto.
Ze draaien bij Assen de snelweg op.

Ineens begint Sjon te praten.
'Ik ga naar mijn tante in Hamburg.
Ze is getrouwd met een rijke man.

Misschien kan zij mij helpen. Ik heb schulden, ziet u.
Daar moet u niet van schrikken. Iedereen maakt fouten, toch? Echt tof, trouwens, dat ik mee mag rijden.'

Met open mond kijkt Luuk naar de lifter.

Wat voor fouten zou Sjon gemaakt hebben?

'Ach, het is een kleine moeite,' bromt papa.

Daarna kijkt hij kort naar mama. Met zijn wenkbrau-
wen hoog. Alsof hij een vraag stelt zonder woorden.

Mama kijkt terug met een 'zie je wel'-gezicht.

Ze heeft gelijk, vindt Luuk.

Het was stom van papa om de lifter mee te nemen.

Sjon praat verder over zijn leven.
'Het valt niet mee,' zucht hij.
'Vorig jaar raakte ik mijn baan kwijt.
En op mijn leeftijd vind je niet zomaar ander werk.'

Luuk buigt zich naar mama toe, tot de gordel hem
tegenhoudt. Mama zegt altijd dat fluisteren niet
netjes is. Maar nu moet het gewoon.

'Mam, hoelang blijft Sjon bij ons in de auto?'
'Niet lang,' fluistert mama terug.
'Dat beloof ik. Ik heb een plan.'

Opgelucht gaat Luuk weer goed zitten.
'Meneer Sjon,' begint mama,
'wij gaan straks van de snelweg af.
We willen naar de markt in een oud stadje.
Bij de afrit kunt u uitstappen.
Daar kunt u een nieuwe lift zoeken.'

'Oh, dat hoeft niet,' zegt Sjon.
'Ik heb geen haast.
Het lijkt mij leuk om naar de
markt te gaan.'

Luuk schrikt.
Hij wil niet dat Sjon meegaat!
'Ach,' begint mama.
Haar lippen vormen woorden zonder geluid.
Ze geeft papa een por. 'Zeg jij eens iets.'

'Uh, tja, dat uh, ja, hoe zal ik het zeggen, wij uh…'
hakkelt papa.
'Tof dat ik mee mag,' verzucht Sjon.
'Ach, kleine moeite,' zegt papa zacht.

De markt

In het oude stadje parkeert papa de auto.
Het is maar een klein plekje in een drukke straat.
De deuren kunnen alleen half open.

Sjon kan er bijna niet uit met zijn dikke buik.
Ha, bedenkt Luuk. Als Sjon klem komt te zitten,
kan hij niet mee naar de markt.
Maar Sjon houdt zijn adem en zijn buik heel ver in.
Zo lukt het toch.

Mama is heel slank. Ze stapt zonder moeite uit.
Met een klap gooit Luuk zijn deur dicht.
Hij loopt naar mama en pakt haar hand.
Samen lopen ze voorop.

Papa loopt met Sjon achter hen.
Ze steken de drukke straat over.
'Ik wil niet dat Sjon meegaat,' zegt Luuk tegen mama.
'Ik ook niet.' Mama schudt haar hoofd.
'Maar maak je geen zorgen.
Bij Bremen gooien we hem
gewoon de auto uit.'

Luuk is er niet gerust op.
Wat als Sjon niet wil?
Een grote man als hij duw je niet
zomaar uit de auto.

Het is een klein stukje lopen naar de markt.
Ze komen door een paar smalle steegjes.
Luuk ziet veel grappige winkels.
Zoals eentje waar ze alleen zeepjes verkopen.
En winkels met kralen, wijn en een met alleen kaarsen.

Het laatste steegje komt uit op de markt.
Het is een heel grote, met wel tien rijen kramen.
Als ze over de markt wandelen, kwekt Sjon aan één
stuk door.

Hij wijst van alles aan.

Overal weet hij een sterk verhaal bij te vertellen.
Dat hij als kind altijd appels stal op de markt.
En dat hij ooit een wedstrijd "het meeste worsten
eten" had gewonnen.

Domme verhalen, vindt Luuk.

Hij luistert maar half.

Maar dan komen ze bij een vleeskraam.

'Kijk, niertjes!' juicht Sjon. 'Heerlijk!

Weet je wat? Ik ga voor jullie koken.

Ik maak de lekkerste niertjes met gebakken spruiten

die je ooit geproefd hebt.'

'Dat hoeft niet,' sputtert mama.

'Joh, ik moet zelf toch ook wat eten.'

Luuk gelooft zijn oren niet. Sjon? Koken? Voor hen?
Waar dan?
In hun huisje? Op vakantie?

Dat kan toch niet waar zijn!
Hij wil niet met Sjon op vakantie!
En niertjes met spruiten wil hij al helemaal niet!

Het plan

Luuk hoopt dat hij het niet goed gehoord heeft.
Maar Sjon bestelt echt een kilo niertjes.
Hij is ook nog zo brutaal om aan papa geld te vragen.
En papa is zo dom om het te geven.
Sjon betaalt de niertjes.

Bij de volgende kraam koopt hij uien en spruiten.
Daarnaast is een kraam met heel veel soorten pasta.
Daar gaat Sjon ook heen.

Al die tijd staan Luuk, papa en mama als drie stand-
beelden te kijken.
Tot mama ineens zacht zegt:
'Kom, wij lopen snel de andere kant op.'
'Ja,' fluistert papa. 'En dan naar de auto.'
Luuk knikt. Hij vindt het een goed plan.
Mama trekt hem mee naar de volgende rij kramen.
Daar kijkt ze even om.

'Hij heeft ons denk ik niet gezien,' fluistert ze.
Snel lopen ze verder. Mama gaat voorop.
Aan het eind van de rij kramen staat ze even stil.
Ze tuurt naar de huizen langs het plein.
'Daar', wijst ze. 'Door dat steegje komen we bij de
auto.'

'Gaan jullie alweer?'
Luuk schrikt zich een pukkel
als Sjon ineens voor hen staat.
Hoe heeft hij hen zo snel gevonden?

'Uh, n-nee hoor,' hakkelt papa.
'Ik k-keek even hoe we straks terug moeten lopen.'
'Dan is het goed,' zegt Sjon. 'Ik ben zo klaar.
Ik heb alleen nog olie nodig, om in te bakken.
Twee rijen verderop verkopen ze olie.
Jullie lopen zeker wel mee?'

'Ja hoor,' zegt mama.

Dat vindt Luuk het domste antwoord dat je kunt geven. Ze kunnen toch beter zogenaamd hier wachten?
Dan kunnen ze vluchten.

Maar papa en mama lopen braaf achter Sjon aan.

Ze fluisteren met elkaar.

Luuk wil weten wat ze zeggen.

'Wat mama, wat?' vraagt hij.

'Ssst,' sist ze.

Ze vinden hem zeker weer te klein voor hun gesprek.

Gelukkig heeft hij goede oren.

Met ingehouden adem luistert hij hen af.

Jammer genoeg praten ze erg zacht.

Hij kan maar een paar woorden verstaan.

'...rennen dit keer... die dikzak... zo kwijt...'

Aha, papa en mama bedenken een nieuw plan.

Net waren ze niet snel genoeg.

Ze moeten meteen gaan rennen.

Ze kunnen vast veel harder dan die dikke Sjon.

Luuks meester is ook dik. Die is heel snel moe.

Al rent hij maar een klein stukje,

dan nog hijgt hij als een hond op een hete dag.

Met zijn tong een beetje uit zijn mond.

Zouden ze snel genoeg kunnen lopen om Sjon kwijt te raken?

De ontsnapping

Sjon loopt naar een kraampje met glazen flessen olie.
Als hij een van de flessen bekijkt, fluistert mama:
'Luuk, luister goed. Als papa en ik gaan rennen, ren je
heel hard mee.'

Luuk knikt. Dat had hij allang begrepen.
Sjon praat met de verkoper van de olie.
Gespannen wacht Luuk op een teken. Hij is er klaar
voor. Toch schrikt hij als mama hem bij zijn hand grijpt.
Ze trekt hem mee.

Ze duiken tussen twee kramen door naar de volgende
rij. Dan beginnen ze te rennen.
Even kijkt Luuk achterom.
Sjon staat er nog. Hij heeft een fles olie in zijn hand.
Hij heeft niks in de gaten.

Wegwezen, voordat hij ziet wat ze doen.
Luuks benen voelen slap als deeg.
Gelukkig kun je met deegbenen toch hard hollen.
Aan het eind van de rij kramen steken ze een weg
over.

Daarna duiken ze een steeg in.

Een heel andere dan waardoor ze gekomen zijn.

Zou papa de weg weten? Straks verdwalen ze nog.

'Harder,' roept mama.

Dat doet Luuk, al doet zijn keel pijn van het hijgen.

De steeg is lang, er lopen veel mensen.

Een paar keer botst hij tegen iemand aan.

Mama sleurt hem dan snel verder.

Aan het eind van de steeg duiken ze een zijstraat in.

Daarna naar links, een ander steegje in.

Dit herkent Luuk.

Hij ziet de winkel met de zeepjes.

'Daar,' hijgt papa, als ze de brede straat in rennen.

Luuk ziet de auto aan de overkant staan.

Het verkeer raast voorbij.

Hoe kunnen ze ooit oversteken?

Van links komt er nu niks, ziet Luuk. Van rechts wel.

Mama trekt hem toch de weg op.

Tot op de streep in het midden.

Daar blijven ze staan.

Auto's zoeven voor en achter hen langs.

Als er rechts even niets aankomt,

rennen ze naar de auto.

Papa grijpt in zijn zak

naar de sleutel.

Klik-klik.

De sloten gaan open.

'Instappen,' roept papa.
Dat doen ze. Vlug.
Meteen start papa de auto.
Zodra het kan, rijdt hij weg.

Voordat ze de hoek omgaan, kijkt Luuk om.
Geen Sjon te zien.

'Zo, die zijn we kwijt,' hijgt papa.
'Gelukkig wel,' zegt mama.

Het is erg druk op de weg.

Papa stopt voor een zebrapad met een stoplicht.

Hij opent zijn raam en legt zijn arm over de rand.

Luuk kijkt naar de mensen die oversteken.

Er zwaait iemand.

Luuk krijgt bijna geen adem meer als hij ziet wie het is.

Vrolijk komt Sjon uit de massa op hen af rennen.
'Hé, wat slim dat jullie de auto al gepakt hebben.'

Mama's vinger vliegt naar het knopje van de deuren.
Te laat. Luuks deur zwaait al open.
'Schuif eens op,' zegt Sjon tegen hem.